LA PATROUILLE DES CITROUILLES

COQUILLE L'ESCARGOT • ÉMILIE • ... • ...RA • ANATOLE • RICOTTA LA SOURIS

Données de catalogage avant publication (Canada)

Roux, Paul, 1959-
La patrouille des citrouilles

(Le raton laveur)
Pour enfants de 3 à 8 ans.

ISBN 2-920660-88-8

I. Titre. II. Collection: Raton laveur (Mont-Royal, Québec).

PN6734.P387R68 2002   j741.5'971   C2002-941183-1

À Laurence.

Nous reconnaissons l'aide financière du gouvernement
du Canada par l'entremise du Programme d'Aide au
Développement de l'Industrie de l'Édition (PADIÉ)
pour nos activités d'édition.

Le Conseil des Arts | The Canada Council
du Canada | for the Arts

Éditions Banjo remercie
le Conseil des Arts du Canada du soutien
accordé à son programme d'édition dans
le cadre du programme des subventions
globales aux éditeurs.

Cet ouvrage a été publié
avec le soutien de la SODEC.

Gouvernement du Québec – Programme de crédit
d'impôt pour l'édition de livres – Gestion SODEC.

Dépôt légal – Bibliothèque nationale du Québec, 2002
Bibliothèque nationale du Canada, 2002
ISBN 2-920660-**88**-8

LA PATROUILLE DES CITROUILLES

PAUL ROUX

Le Raton Laveur

MON ONCLE A POURTANT TOUT ESSAYÉ POUR ATTRAPER CE CHENAPAN. RIEN N'A MARCHÉ.

LA DIFFÉRENCE, C'EST QUE NOUS, NOUS SOMMES PLUSIEURS.

PAR CONTRE, LE CHAMP EST TRÈS GRAND. IL VA FALLOIR SE DIVISER POUR MIEUX LE SURVEILLER.

FERME

ERNEST

ANATOLE

ÉMILIE

CHAMP DE CITROUILLES

STEVE

CASSANDRA

LA FERME DE M. POTIRON

LE PREMIER QUI APERCEVRA LE VOLEUR SONNERA L'ALARME AVEC UNE DE CES TROMPETTES EN PLASTIQUE. OK?

ON DOIT RÉUSSIR! ONCLE LÉON EST TRÈS NERVEUX, CAR IL A VRAIMENT PEUR QU'ON LUI DÉROBE SON ÉNORME CITROUILLE DE 525 KILOS QU'IL DOIT PRÉSENTER AU CONCOURS DE LA PLUS GROSSE CUCURBITACÉE.

CRRAAAC!

CHUT!
REGARDE!

BRRMLMLLL

DESCENDONS
VITE!

IL EST TROP MIGNON. QU'EST-CE QU'ON FAIT?

BIEN... RIEN. ON LES LAISSE TRANQUILLES.

CE N'EST SÛREMENT PAS LUI QUI A VOLÉ 50 CITROUILLES.

OUAIS, MAUVAISE PISTE.

DEUX LONGUES HEURES PLUS TARD...

PAUL ROUX 2002

HÉ! ERNEST, CE N'EST PAS LE MOMENT DE DORMIR!

HEIN?... EUH... JE NE DORMAIS PAS. J'ÉCOUTAIS LE SILENCE POUR Y ENTENDRE LES BRUITS SUSPECTS.

MAIS! C'EST QUOI ÇA, LÀ-BAS?

VITE!

GNNN!

HMPF!

VOYOUS! POURQUOI VOLEZ-VOUS LES CITROUILLES DE L'ONCLE D'ERNEST?

NOUS NE VOLONS PAS. NOUS SOMMES DES MEMBRES DE LA **SPCA**, LA SOCIÉTÉ DE PROTECTION DES CITROUILLES ANONYMES.

TAP! TAP!

NOUS LUTTONS POUR LIBÉRER LES PAUVRES CITROUILLES...

PAUL ROUX 2002

... QU'ON MALTRAITE EN LEUR SCULPTANT DES VISAGES GRIMAÇANTS QUI LEUR DONNENT UN AIR IDIOT ET RIDICULE.

!?!

NOUS LUTTONS POUR L'IMAGE, LE RESPECT ET LA DIGNITÉ DES CITROUILLES!

C'EST PAS VRAI!?!

ET C'EST POUR CETTE RAISON QUE VOUS AVEZ VOLÉ PLUS DE 50 CITROUILLES?

COMMENT ÇA, 50 CITROUILLES? CELLE-CI EST LA TOUTE PREMIÈRE QU'ON AIT TENTÉ DE LIBÉRER.

POPS!

GRRR! ENCORE UNE FAUSSE PISTE! DISPARAISSEZ D'ICI, VITE! ALLEZ LIBÉRER LES CITROUILLES AILLEURS, LOIN.

TRÈS TRÈS LOIN!

PEU APRÈS...

ON DEVRAIT PEUT-ÊTRE ABANDONNER.

IL A RAISON. IL EST DÉJÀ 21 HEURES ET IL COMMENCE À FAIRE FROID ET NOIR.

HÉ, LA PATROUILLE! VOUS VOYEZ CE QUE JE VOIS?!?

ONCLE LÉON!

PAUL ROUP 2002

CLIC!

iiiiiii

JE N'EN REVIENS PAS, MON ONCLE EST SOMNAMBULE.

ET C'EST LUI-MÊME QUI, DE PEUR QU'ON LUI VOLE SES PRÉCIEUSES CITROUILLES, LES CACHE CHAQUE NUIT SANS MÊME LE SAVOIR.

C'EST PAS BANAL, ÇA!

QUELQUES HEURES PLUS TARD, AU LEVER DU JOUR...

BRRR... C'EST PAS... PAS... ATCHOUM! CHAUD!

ERNEST, RÉVEILLE-TOI!

HEIN, QUOI? QU'EST-CE QUI SE PASSE?

NOUS NOUS SOMMES TOUS... AT... ATCHOUM! ENDORMIS DEHORS. ATCHOUM! BONJOUR, LE RHUME!

AT... AT... ATCHOUM!

ATCHiii!

?

ATCHOUM!

AH, MON ONCLE! SI TU SAVAIS... TES CITROUILLES SONT SAUVÉES!

OÙ SUIS-JE? QUE S'EST-IL... AT... ATCHOUM! PASSÉ?

ATCHAA!

PAUL ROUP 2002